걸을 때마다

순간을 기록한 세계 여행 시집

김석영 시집

김석영

여행과 글쓰기를 좋아하여 에세이 "별이 탄생하는 순간", 여행 시집 "플랫폼 1"을 출간하였다. 여행 유튜브 채널 "OURS", "F&A" 채널을 운영 중이며 노래 "TOWER"를 비롯해 2곡을 작사하였다.

약력
-누림 (대표)
-대한민국의 역무원

걸을 때마다

순간을 기록한 세계 여행 시집

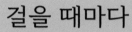

세계 각지의 아름다운 장소를 여행하는 듯한
감성적인 시와 사진을 담은 특별한 시집

목
차

4부. 대한민국 ·················94

자연에 감동하며 기뻐하던 곳

아이슬란드

여행이 아닌 삶을 볼 수 있는 곳

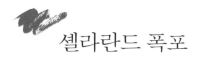

셀라란드 폭포

무서워하지 마
두려워하지 마

추락의 절망으로 보이고
추위의 고통으로 느껴져도

미래의 모습까지 본다면
그것은 한 폭의 그림이다

자연에 감동하며 기뻐하던 곳

여행이 아닌 삶을 볼 수 있는 곳

암석

아이슬란드의 이런 익숙한 풍경이
계속 봐도 질리지 않는 것은
볼 때마다 다른 느낌을 받기 때문이다

무지개 같은 다양한 모습을 보여주는
아이슬란드 암석
두 눈에 담고 담아 본다

자연에 감동하며 기뻐하던 곳

여행이 아닌 삶을 볼 수 있는 곳

협곡

마치 전쟁 영화를 보면
이런 곳에서 매복 전략을 이용한
전쟁 장면이 나온다

이런 곳에서 전쟁을 한다면
주변의 뷰가 너무 힐링되서
모두 휴전을 하지 않을까

자연에 감동하며 기뻐하던 곳

여행이 아닌 삶을 볼 수 있는 곳

스코가포스 폭포

폭포가 마트보다 많은 아이슬란드에서
스코가포스 폭포의 장점을 물어본다면
주변의 뷰가 멋있다고 대답할 것이다

이국적이어도 너무 이국적인 뷰는
스코가포스가 왜 관광지인지 말해 준다

자연에 감동하며 기뻐하던 곳

여행이 아닌 삶을 볼 수 있는 곳

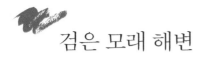

검은 모래 해변

상상해본적 있는가
이런 곳을 달리고 달려
바닥에 누워 있는 모습을

일상에서는 느끼지 못했던
시원한 자유

자연에 감동하며 기뻐하던 곳

여행이 아닌 삶을 볼 수 있는 곳

한 프레임

앞에 산은 미니 성산 일출봉
뒤에 산은 설산
한 프레임에 있는 두 산

모습은 달라도
우리는 아이슬란드 마운틴

자연에 감동하며 기뻐하던 곳

여행이 아닌 삶을 볼 수 있는 곳

디르 홀래이

아이슬란드 사람들에게는 흔한 이런 암석이
관광객에는 신기한 광경이 된다

디르 홀래이의 매력은
시간이 지나면서 더 멋있어지는
암석의 모습이다

　　　　　　　자연에 감동하며 기뻐하던 곳

여행이 아닌 삶을 볼 수 있는 곳

THE WAY

앞이 보이지 않아도 길을 갈 수 있다는 말을
여기에 와보면 이해할 수 있다

맑은 공기와 시원한 바람
그리고 걸을 때마다 들리는 소리는
계속 걷고 싶게 만든다

THE WAY

자연에 감동하며 기뻐하던 곳

여행이 아닌 삶을 볼 수 있는 곳

요쿨살론

빙하가 많은 이곳에서 하루를 보낸다면

오전에도 빙하를 보고

오후에도 빙하를 보고

저녁에도 빙하를 볼 것이다

빙하가 인상적인 곳, 요쿨살론

자연에 감동하며 기뻐하던 곳

여행이 아닌 삶을 볼 수 있는 곳

잠수

잠수를 하면 알게 될 거야
빙하의 크기가 보이는 것과 다르다는 것을

눈에 보이는 것보다
안 보이는 것이 더 많은 이 세상이듯이
이곳 요쿨살론도 그러하다

자연에 감동하며 기뻐하던 곳

여행이 아닌 삶을 볼 수 있는 곳

시간이 지나면

시간이 지나면
이곳은 빙하가 있는 곳이 아니라
있었던 곳이 될 것이다

그 시간이 지난 뒤에는
이 빙하의 가치가
지금보다 더 높아지겠지

자연에 감동하며 기뻐하던 곳

여행이 아닌 삶을 볼 수 있는 곳

폭포의 시작

지구의 시작을 나는 본적이 없다
하지만 알 것 같다

폭포도 거슬러 올라가면
이렇게 시작이 있듯이

지구도, 사람도, 그리고 모든 만물도
시작이 있었다는 것을

자연에 감동하며 기뻐하던 곳

여행이 아닌 삶을 볼 수 있는 곳

굴포스

피곤할 때 시원해지는 그 느낌
보고 있으면 감동이 되는 이 느낌
이곳이라면 가능하다

이곳을 이렇게 표현하고 싶다
자연의 웅장함을 담고 있는
이곳 굴포스

　　　　　　　　　자연에 감동하며 기뻐하던 곳

여행이 아닌 삶을 볼 수 있는 곳

무지개 폭포

수많은 빙하들이 녹아 물줄기를 이루고
그 물줄기들이 시냇가를 이루고
그 시냇가들은 호수를 이룬다
그 호수들이 이제 출발한다

어디로 가냐고?

바로 무지개 폭포 아래로
굴포스라는 롤러 코스터를 타고 간다

자연에 감동하며 기뻐하던 곳

여행이 아닌 삶을 볼 수 있는 곳

게이시르

너무 뜨겁지는 않았으면 좋겠어
너무 뜨거우면 주변을 다치게 하니까

게이시르는 항상 화가나 있지만
너는 그렇지 않길 바래

자연에 감동하며 기뻐하던 곳

여행이 아닌 삶을 볼 수 있는 곳

싱벨리어

누군가는 한반도라고 생각하겠지
누군가는 알파벳 Z를 생각하겠지
보는 시각에 따라

무엇을 보는가도 중요하지만
어떻게 보는가도 중요하다

나는 무엇을 보고 있을까

자연에 감동하며 기뻐하던 곳

여행이 아닌 삶을 볼 수 있는 곳

church

싱벨리어 국립공원 안에 있는
저곳은 역사가 깊은 교회라고 한다

어느 건물이나 역사가 있지만
저곳은 뭔가의 스토리가 있는 것 같다

스토리, 그것이 이곳을 증명하고 있고,
지금의 사실들로 계속 채워지고 있다

스토리는 역사적 사실의 다른 말이며
지금 이 순간이다

자연에 감동하며 기뻐하던 곳

여행이 아닌 삶을 볼 수 있는 곳

첫 인상부터 마지막까지 세련된 곳

덴마크

걷고, 또 걷고, 계속 걷고 싶어
지금도...

뉘하운

걸을수록 밝아지는 마음
뜨거운 햇살에 밝아지는 얼굴
지날수록 밝아지는 건물들

뉘하운의 24시간은 항상 낮이다
항상 밝은 뉘하운

걷고, 또 걷고, 계속 걷고 싶어 지금도…

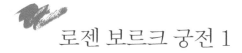

로젠 보르크 궁전 1

많은 스트레스에 지쳐 있나요?

하루가 힘든가요?

이곳, 로젠 보르크 궁전에 가보세요

휴식도 취하고

맑은 공기도 마시고

푸른 하늘도 보다 보면

점점 행복해져요

첫 인상부터 마지막까지 세련된 곳

걷고, 또 걷고, 계속 걷고 싶어 지금도…   51

룬데토른 1

코펜하겐에 온다면
룬데토른에서 만나자

전망이 잘 보이고
밝은 소음들이 들리는 곳

룬데토른에서 만나자
룬데토른 시, 룬데토른 분, 룬데토른 초에

첫 인상부터 마지막까지 세련된 곳

걷고, 또 걷고, 계속 걷고 싶어 지금도…   53

룬데토른 2

저 멀리 보이는 전망은
계속 바라보게 만들어

다양한 색감의 건물들은
시차 조차 선명하게 만들어

룬대토른 전망대의 낮에서 보는
대한민국의 밤

첫 인상부터 마지막까지 세련된 곳

걷고, 또 걷고, 계속 걷고 싶어 지금도…

호수

진정한 조력자는 생색을 내지 않아
진정한 후원자는 자랑을 하지 않아

진정한 파트너는 겸손한 태도를 보여
진정한 동역자는 시너지 효과를 거두어

그것을 우리는 원팀이라고 부르지
원팀 같은 장소 호수

첫 인상부터 마지막까지 세련된 곳

걷고, 또 걷고, 계속 걷고 싶어 지금도…

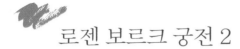

로젠 보르크 궁전 2

그날의 생각들은 글자가 되어
이렇게 적어진다

그날의 감정들은 시가 되어
이렇게 쓰여진다

눈으로 보고, 코로 맡고, 귀로 들었던
여름날의 시원했던 추억, 코펜하겐

첫 인상부터 마지막까지 세련된 곳

걷고, 또 걷고, 계속 걷고 싶어 지금도⋯

거리

걸을 때마다 생각나
앉아 있어도 생각나
사진을 보는 지금도 생각나

그 거리들의 감촉도
이 공기들의 촉감도
사진을 보는 지금도 생각나

첫 인상부터 마지막까지 세련된 곳

걷고, 또 걷고, 계속 걷고 싶어 지금도…

공원

어둠을 빛이 밝히듯
길들을 내가 걸어간다
주변에 모든 것들을 하나씩 생각해보며

나무, 돌, 건물, 바다, 산
그 어느 것도 그냥 있는 것이 아니다

첫 인상부터 마지막까지 세련된 곳

걷고, 또 걷고, 계속 걷고 싶어 지금도…

코펜하겐

평범한 일상도 특별할 수 있을까
이곳이라면 가능할지도 모르겠다

이국적이면서도 편안했던 곳
코펜하겐

첫 인상부터 마지막까지 세련된 곳

걷고, 또 걷고, 계속 걷고 싶어 지금도…

과거와 미래가 공존하는 도시

방콕

친절함과 차가움을 느낄 수 있는 곳

방콕의 야경

신나는 음악과 눈 앞의 보이는 뷰
이 도시가 어떤 곳인지 말해준다

저 많은 빌딩들은 건설한 목적이 있다
내가 앉아 있는 이 건물도

가만히 멈춰 있는 빌딩들이 예술이 되는
방콕의 야경

과거와 미래가 공존하는 도시

친절함과 차가움을 느낄 수 있는 곳

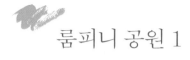

룸피니 공원 1

울창한 야자수와 높은 빌딩
푸른 하늘과 맑은 구름
그리고 쾌적한 공원

걸을수록 행복한 곳
룸피니 공원

과거와 미래가 공존하는 도시

친절함과 차가움을 느낄 수 있는 곳

룸피니 공원 2

걷는 것도 좋지만
잠시 벤치에 앉아서 휴식을 취해보자

그렇다면 보일 것이다
자연의 아름다움이

친절함과 차가움을 느낄 수 있는 곳

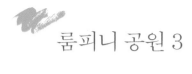

룸피니 공원 3

아침부터 긍정적인 에너지를 느낄 수 있는
룸피니 공원에서 하루를 보낼 수 있다면

오전에는 산책을 하고
오후에도 산책을 하고
저녁에도 산책을 할 것이다

너무 좋으니까

과거와 미래가 공존하는 도시

친절함과 차가움을 느낄 수 있는 곳

룸피니 공원 4

높이가 각자 다른 건물들처럼
사람들의 모습과 생각도 다 다르다

나대는 사람, 열정적인 사람, 부정적인 사람
그리고 그 사람들을 이끄는 지도자

방콕도 다 그런 사람들이 있겠지

과거와 미래가 공존하는 도시

친절함과 차가움을 느낄 수 있는 곳

방콕의 오후

방콕의 석양은
한강의 석양과는 다른 느낌이 있다

서울에서는 잘 느끼지 못했던
오랜 더위 끝에 오는 행복
방콕의 아름다움이란 이런 것

과거와 미래가 공존하는 도시

친절함과 차가움을 느낄 수 있는 곳

새벽 1

새벽의 공기 또한 더운 이곳
이른 새벽부터 어디론가 향하는 사람들

따뜻한 새벽 온도의 이곳에 있으면
마음과 생각도 따뜻해질 것 같다

발전과 레트로가 공존하는 도시 방콕

과거와 미래가 공존하는 도시

친절함과 차가움을 느낄 수 있는 곳

새벽 2

즐겁도다 이날
감사로 시작하는 하루

내일 아침에도 또 다른 하루가 있지만
오늘은 다시 오지 않는다

today is happy

과거와 미래가 공존하는 도시

친절함과 차가움을 느낄 수 있는 곳

정체

때로 멈추는 것이 더 빠를 때도 있다
빠른 길을 선택할 시간을 주기에

하지만 사람들은 멈추고 싶어 하지 않는다
목적지에 빨리 도착하고 싶기에

정체의 미학을 아는 사람이
진짜 드라이버

과거와 미래가 공존하는 도시

친절함과 차가움을 느낄 수 있는 곳

경적의 함성

에코 마이크 같이 울린다
울리는 소리는 함성이 되어 펴진다

경적들이 함성으로 들리는
이곳은 스타디움이다
경적을 좋아하는 사람들이게는

과거와 미래가 공존하는 도시

친절함과 차가움을 느낄 수 있는 곳

출발선 1

뒤에 차가 앞서 갈 수 있는 방법은
초록불이 되었을 때 추월을 하는 것이다

하지만 사람들은 때로 빨간 불에 움직인다
반칙은 때로 괜찮다고 생각하며

좋은 결과를 위해 나쁜 과정을 갖는다면
그것이 좋은 결과라고 할 수 있을까

과거와 미래가 공존하는 도시

친절함과 차가움을 느낄 수 있는 곳

89

출발선 2

단거리 달리기를 할 때
출발 5초 전에
선수들은 무슨 생각을 할까

트랙이 아닌 도로에서 펼쳐지는
매일의 경주

과거와 미래가 공존하는 도시

친절함과 차가움을 느낄 수 있는 곳

수완나품 공항

여정의 끝이 아닌
여정의 시작이 되는 곳

수완나품 공항이라는 플랫폼은 정말 크다
그 그릇이 크기에 많은 사람을 담는다

큰 그릇이 되자

과거와 미래가 공존하는 도시

친절함과 차가움을 느낄 수 있는 곳

4부 2023

여기는 어디?

대한민국

OUR 대한민국

망망대해

지구는 둥글다
그 지구 표면에 있는 바다는 푸르다

바다의 색을 육지에 칠한다면
사람의 일상 생활이 여행 같지 않을까

출근이 아닌 여행을 하고 싶은 마음으로

여기는 어디?

보성 녹차 1

마치 남해안의 리아스식 해안 같다
녹차 밭의 아우라가 말이다

녹차 밭에 있지 않아도
녹차 밭이 생각나는 이유는
녹차 밭의 이미지가 힐링되기에

여기는 어디?

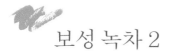

보성 녹차 2

잠들고 싶은 녹차 밭이다
흙길을 따라 걷다 보면
녹차를 마치 먹고 있는 것 같다

녹차로 침대를 만들 수 있다면
침대 회사는 부자가 될 것이다
사람들이 침대를 계속 먹을테니까

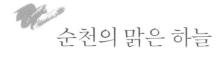

순천의 맑은 하늘

맑은 하늘은 아무런 문제가 없는 것 같다
과연 그럴까

맑은 하늘은 어린 아이의 마음 같다
순수하니까

순천의 그런 맑은 하늘

숲길을 따라

가는 길이 좁을지라도
가는 길이 행복하다면
그 길은 축복의 길이다

숲길을 따라
계속 걸어보자

여수 바다

여수 낮 바다는
희망이 넘친다
화태대교를 본다면 더더욱

나폴레옹은 말했다
바다는 인간들이 흘린 눈물이라고

나는 생각한다
바다는 창조주가 주신 선물이라고

여기는 어디?

출항 직전

가는 길에 어려움이 있다면
그것은 발판이 된다

가는 길에 문제가 있다면
그곳에는 답이 있다

항해 길에 갈등이 있다면
그 항해 길은 갱신하면 된다

도착지까지 가는 길에 위기가 있다면
그것은 기회이다

출항은 행복한 도전이다

여기는 어디?

율동공원

해가 지면 저녁이 된다

그리고 해가 뜨면 내일이 된다

오늘은 오늘이고

내일은 내일이다

오늘이 가기 전에 무엇을 해야 할까

도시가 발전 할 수 있다는 것에

감사한다

THANK YOU

금강공원

경치를 볼 수 있다는 것에
감사한다

걸을 수 있다는 것에
감사한다

THANK YOU

여기는 어디?

수성못

수성못에는
오리배가 있다

수성못에는
오리도 있다

흙길을 걸을수록
몸이 가벼워지는 느낌이다

길

처음 갈 때는 몰랐는데
가다보니 행복한 느낌이 들었다

처음 갈 때는 몰랐는데
나중에도 많이 기억에 날 것 같다

나중에는 알게 되었다
걸어갔던 그 순간들이 너무 행복했었다

이런 길인줄 알았으면
가지 않았을텐데

아니 이런 길인줄 알았으면
미리 더 기대하고 갔을텐데

울산 관람차

관람차는 계속 돌아간다
시간도 계속 가고 있다

정지되어 있는 시계는 하루에 2번은 맞는다
그러나 잘못 움직이는 시계는
잘못하면 하루 종일 틀릴 수도 있다

관람차처럼 필요한 움직임을 할 것인가
고장 난 시계처럼 틀린 움직임을 할 것인가

여기는 어디?

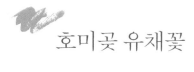

호미곶 유채꽃

사람들은 중요하지 않은 것 때문에
싸우고 갈등하며
서로 헐뜯고 비방한다

사람들은 중요하지 않은 것 때문에
인생의 많은 시간을
투자하며 낭비한다

사람들은 중요한 것에
별로 관심이 없으며
그 가치를 잘 모른다

사람들은 중요한 것에
인생의 방향을 맞추며
보내야 한다는 것을 잘 모른다

나는 중요한 것에 집중하며
모든 사람을 살리는
멋있는 사람이 되고 싶다

여기는 어디?

영일대

사람은 저마다 길을 간다
A는 실패의 길
B는 한계의 길

사람은 저마다 길을 가고 있다
C는 노력의 길
D는 열심의 길

사람의 저마다 길의 방향이 있다
E는 살리는 길
F는 싸우는 길

어떤 길은 가는 것이 진짜 좋은 길일까?
나는 24시간 좋은 길로 가고 싶다
동기와 과정과 목표가 모두 바른

여기는 어디?

호미곶

누군가의 한 마디에
감동을 한다

누군가의 한 마디에
실망을 한다

누군가의 한 마디에
낙심을 한다

누군가의 한 마디에
성장을 한다

누군가의 한 마디가
오늘 나의 언어가 될 수 있다

여기는 어디?

스페이스 워크

우리는 살고 있다
지금도 살고 있다
미래에도 살아갈 것이다

나는 과거가 있었다
오늘도 지금 있다
미래도 앞으로 있을 것이다

나는 오늘을 통해 미래를 본다
또 미래를 바라보며 오늘을 본다
그래서 오늘이 중요하다

과거 현재 미래가 보장된 나는
정말 행복한 사람

5부 2022

작지만 매력적인 곳

싱가포르

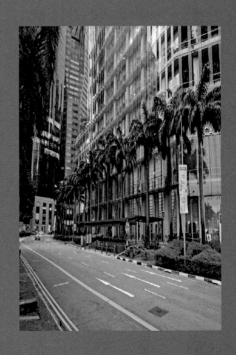

한 여름의 크리스마스

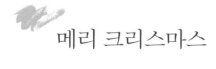

메리 크리스마스

싱가포르의 크리스마스는 여름이다
1년 내내 여름이기 때문이다
매일 여름

메리 크리스마스
사실 365일이 크리스마스다
매일 크리스마스

그 분이 죽으시고 부활하셔서
다 이루셨기에

작지만 매력적인 곳

한 여름의 크리스마스

시티 1

걸을수록 땀이 나지만
풍경을 보니 더 걷고 싶어진다

아래 물의 색은 맑지 않지만
하늘은 맑아 보인다

싱가포르 시티의 매력은 무엇인가

작지만 매력적인 곳

한 여름의 크리스마스

시티 2

하늘이 멋있다
한 폭의 그림 같다

물론 사진이 아니라
진짜로 봤을 때를 말하는 것이다

이 책은 발로 찍은 디카시집이다
그래도 큰 의미가 있다

작지만 매력적인 곳

한 여름의 크리스마스

센토사 1

사진을 보니 야자수를 찍은 건지

바다를 찍은 건지

다리를 찍은 건지

잘 모르겠지만

이 곳은 센토사 섬 안에 있는

팔라완 비치이다

작지만 매력적인 곳

한 여름의 크리스마스

센토사 2

아시아 대륙의 최남단
이 곳 팔라완 비치이다

지구는 넓고 우주는 더 넓다
이 세계를 창조한 창조자 그 분은
정말 대단한 것 같다

작지만 매력적인 곳

사테 거리

먹어보았는가
이 곳의 구이를

먹어 보면 알 수 있다
이 곳의 고기 맛을

체험의 중요성

한 여름의 크리스마스

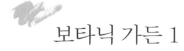

보타닉 가든 1

평일에 보타닉 가든 걷는 다면
싱가포르 주민들의 삶을 보게 된다

모여서 체조를 하는 사람들
돌아다니며 무언가를 적는 학생들
조깅을 하는 러너들

싱가포르에 산다면 어떤 느낌일까

작지만 매력적인 곳

한 여름의 크리스마스

보타닉 가든 2

보타닉 가든은
타이타닉호 보다는 안전 할 것 같다
닉(이름)값이 말해준다

가이드 없이도 안전하고
든든하게 다닐 수 있다고

작지만 매력적인 곳

한 여름의 크리스마스

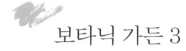

보타닉 가든 3

날씨는 덥고
점점 땀이 흐르지만

한국의 겨울 날씨를 생각하면
계속 걸어도 좋다

작지만 매력적인 곳

한 여름의 크리스마스

래플스 타운 1

싱가포르는 건물이 다 다르다
이 건물은 중간에 숲이 있다

이런 조화를 낼 수도 있구나
싱가포르는 특이하다

작지만 매력적인 곳

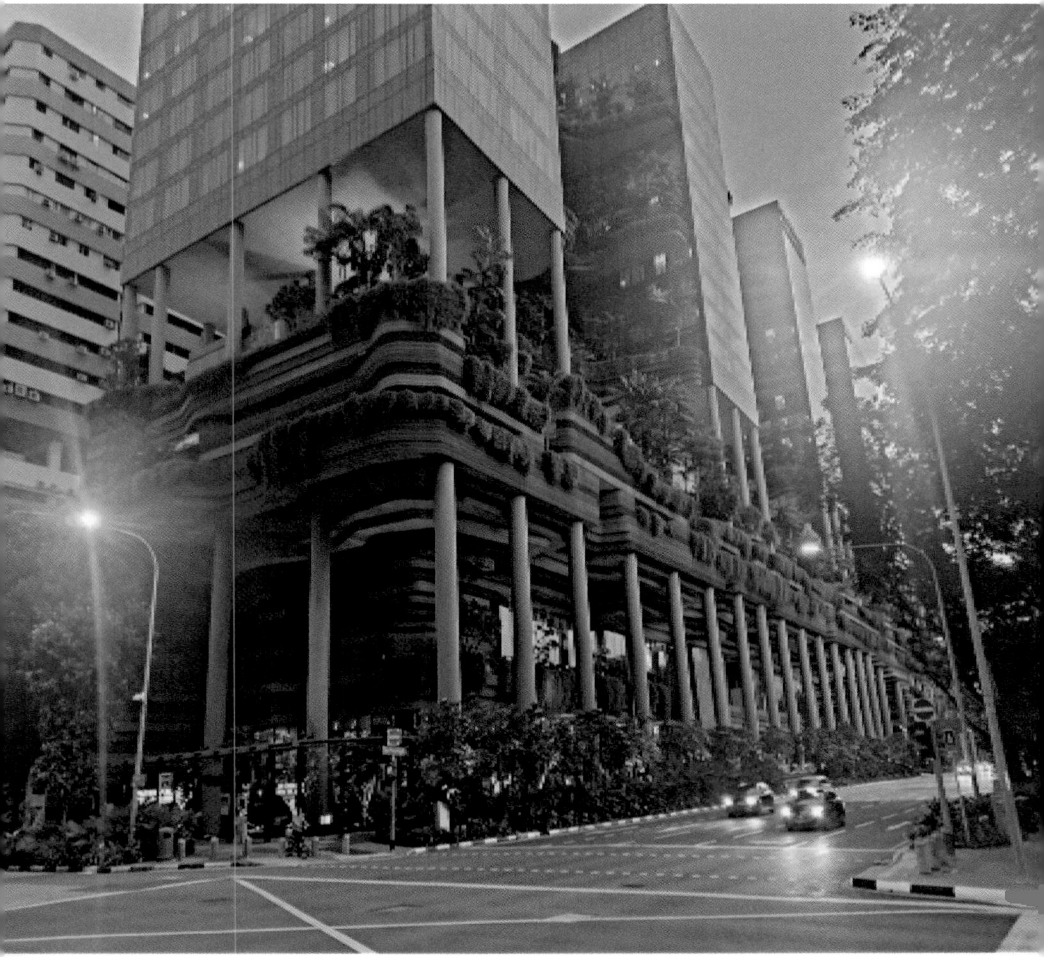

래플스 타운 2

이 빌딩과 야자수의 조화가

웃기지 않은가

그런데 싱가포르라 그런지

이런 것도 멋있다

작지만 매력적인 곳

한 여름의 크리스마스

마리나 베이 1

밤에 보는 야경과는 다른 느낌이다
날씨는 더운데 상쾌하다

뜨거운 것을 먹으며
시원하다고 말하는 그 느낌처럼

작지만 매력적인 곳

한 여름의 크리스마스

마리나 베이 2

이 곳은 아침이나 밤이나
조깅하는 사람이 많다

날씨는 1년 내내 한 여름인데도
다들 운동을 열심히 한다

서울에 한강 공원과는 뭔가 다른 느낌이다

작지만 매력적인 곳

한 여름의 크리스마스

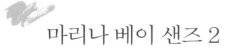

마리나 베이 샌즈 2

사진으로는 빌딩과 건물이 보이지만
실제로는 옆에 사람이 더 많다

사람들의 여러 말소리가 들리지만
그래도 야경은 멋있다

작지만 매력적인 곳

한 여름의 크리스마스

마리나 베이 샌즈 3

4년 전에 봤던 야경이지만
다시 봐도 좋다
언젠가 이 야경도 싫증 날 것이다

그런데 진짜 좋은 것은
반복해서 봐도 볼수록 좋다

작지만 매력적인 곳

한 여름의 크리스마스

쥬얼 창이

크고 웅장하긴 한데
인위적이다

나는 왜 이 폭포를 보며
워터파크의 슬라이드가 생각날까

작지만 매력적인 곳

한 여름의 크리스마스

6부 2022

어디 좋은 곳에 가고 싶을 때

제주

바로 지금

애월 해변

파도가 크게 친다

하수는 파도 흐름을 뚫고 간다
중수는 파도 흐름을 보며 기다린다
고수는 파도 흐름의 방향대로 간다
프로는 파도 흐름에 영향 받지 않고 누린다

어디 좋은 곳에 가고 싶을 때

바로 지금

섭지코지 1

섭지코지의 전망대에서 보인다
제주도의 검은색 바위가
제주도의 푸른색 바다가
제주도의 투명색 공기가

사실 공기는 보이지 않는다
투명색이니까 말이다
인간은 많은 것을 보는 것 같지만
사실 두 눈으로 못 보는 것도 많다

어디 좋은 곳에 가고 싶을 때

섭지코지 2

섭지코지로

지금 가보세요

코로 깊은 공기를 마실 수 있는

지역입니다

어디 좋은 곳에 가고 싶을 때

바로 지금

섭지코지 3

걸을수록 좋다

공기도 맑다

하늘은 푸르다

섭지코지는 멋있다

어디 좋은 곳에 가고 싶을 때

바로 지금

파더스 가든

별 기대없이 왔다가
여러 가지를 많이 본 파더스 가든

억새, 핑크 뮬리, 귤따기 체험
여러 가지를 많이 본 파더스 가든

다음에 제주 올 때 또 와야겠다

어디 좋은 곳에 가고 싶을 때

바로 지금

173

샤려니 숲길 1

겨울이라 그런지
약간 추운 것 같기도 하다

관광지라 그런지
조금 사람이 많아 보인다

어디 좋은 곳에 가고 싶을 때

바로 지금

샤려니 숲길 2

나무가 울창해서
보기 좋고
걷기도 좋다

근데 너무 많이 걸으면
힘들 것 같다

어디 좋은 곳에 가고 싶을 때

산굼부리 1

산굼부리는 억새가 많다
억새와 갈대는 차이점이 있다
바로 어느 곳에 있느냐의 차이다

정체성이 그 만큼 중요하다
나는 누군인가
정답은 이미 가지고 있다

어디 좋은 곳에 가고 싶을 때

바로 지금

산굼부리 2

날씨가 어두워도
운치가 있다
산굼부리이기 때문일까

제주도에 온다면
산굼부리는 필수 코스

어디 좋은 곳에 가고 싶을 때

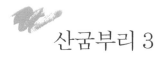

산굼부리 3

오름이 많은 제주도

산굼부리에서도 많이 보인다

제주도의 자연 환경은 정말 좋다

어디 좋은 곳에 가고 싶을 때

바로 지금

7부 2022

잔잔한 바다

여수

선명한 야경

돌산대교

여수의 핫 플레이스
돌산대교

야경의 핫 플레이스
돌산대교

THIS IS 돌산대교

선명한 야경

선소

이 곳에서 임진왜란 때
배를 제작했다고 한다

지형이 바깥쪽에서 보이지 않아
배를 숨기기가 편하다고 하는데
와보니 정말 그런 것 같다

　　　　잔잔한 바다

선명한 야경

여수 낮 바다

여수 밤 바다는 유명하다
여수 낮 바다는 유명할까

여수 밤 바다가 유명한 이유는
노래 때문인 것 같다

여수 낮 바다도 멋있다

선명한 야경

와온해변

사실 이 곳은 순천시에 속하는 지역이다

크고 화려하지는 않지만

조용하고 생각하기 좋은 곳

와온해변

화태대교

여수 시내에서 **1**시간 더 가야 하는

남쪽으로 계속 더 가야 하는

이 곳은 화태대교

차가 별로 없어

차에서 잠시 내려

사진을 찍어본다

선명한 야경

걸을 때마다

순간을 기록한 세계 여행 시집

발행일 | 2024년 2월 21일

지은이 | 김석영
펴낸이 | 마형민
기　획 | 임수안
편　집 | 김현주
펴낸곳 | (주)페스트북
주　소 | 경기도 안양시 안양판교로 20
홈페이지 | festbook.co.kr

ISBN 979-11-6929-450-8 03810
값 16,500원

* (주)페스트북은 '작가중심주의'를 고수합니다. 누구나 인생의 새로운 챕터를 쓰
도록 돕습니다. Creative@festbook.co.kr로 자신만의 목소리를 보내주세요.